Rolfs Flötenbüchlein 1

16 fröhliche Lieder zum Spielen und Singen
für zwei C-Blockflöten, Gitarre und Glockenspiel
von Rolf Zuckowski

SIKORSKI MUSIKVERLAGE · HAMBURG

Zebrastreifen

Musik und Text: Rolf Zuckowski
Bearbeitung: Michael Prost

(aus der CD „Rolfs neue Schulweg-Hitparade")

H.S. 1287

D.C. al Fine

H.S. 1287

Stups, der kleine Osterhase

Musik und Text: Rolf Zuckowski
Bearbeitung: Michael Prost

Stups, der klei - ne Os - ter - ha - se fällt an - dau - ernd auf die Na - se,

ganz e - gal, wo - hin er lief, im - mer ging ihm et - was schief.

Neu - lich leg - te er die Ei - er in den Schuh von Fräu - lein Mei - er.

(aus der CD „Radio Lollipop")

Was zieh ich an

Musik und Text: Rolf Zuckowski
Bearbeitung: Michael Prost

Was zieh ich an, was zieh ich an, da - mit man mich auch gut se - hen kann?

Gelb leuch-tet hell, Rot sieht man schnell, Grau o-der Braun, das sieht man kaum.

Was zieh ich an, was zieh ich an, da - mit man mich se - hen kann?

(Fine)

(aus der CD „Rolfs neue Schulweg-Hitparade")

Vögelein, Vögelein, tanz mit mir

Musik und Text: Rolf Zuckowski
Bearbeitung: Michael Prost

(aus der CD „Rolfs Vogelhochzeit")

Vö-ge-lein, Vö-ge-lein, glau-be mir, bald ist uns bei-den ganz heiß!

Vö-ge-lein, Vö-ge-lein, tanz mit mir, im-mer noch ein-mal he - rum.

Vö-ge-lein, Vö-ge-lein, glau-be mir, ir-gend-wann fal-len wir um!

Sieh nur, die Sterne

Musik und Text: Rolf Zuckowski
Bearbeitung: Michael Prost

Sieh nur, die Ster - ne, der Tag schläft schon ein___

und dei - ne Au - gen sind mü - de und klein.___

(aus der CD „Rolfs Vogelhochzeit")

Du da im Radio

Musik und Text: Rolf Zuckowski
Bearbeitung: Michael Prost

1. Du da im Ra - di - o, ___ wie geht's dir denn heut Mor - gen?
2. Du da vorm Ra - di - o, ___ auch ich hab mei - ne Sor - gen.
3. Du da im Ra - di - o, ___ du musst ja ziem - lich klein sein.
4. Du da vorm Ra - di - o, ___ und du musst wohl al - lein sein.

(1.) Du da im Ra - di - o, ___ wie war denn dei - ne Nacht? *(3 × D.C.)*
(2.) Du da vorm Ra - di - o, ___ ich bin schlecht auf - ge - wacht.
(3.) Du da im Ra - di - o, ___ wie passt du denn da rein?
(4.) Du da vorm Ra - di - o, ___ wem fällt sonst so was

(4.) ein? Ich hab da 'ne I - dee, da - mit ich dich mal seh, hol
hab da 'ne I - dee, da - mit ich dich mal seh, schick

(aus der CD „Radio Lollipop")

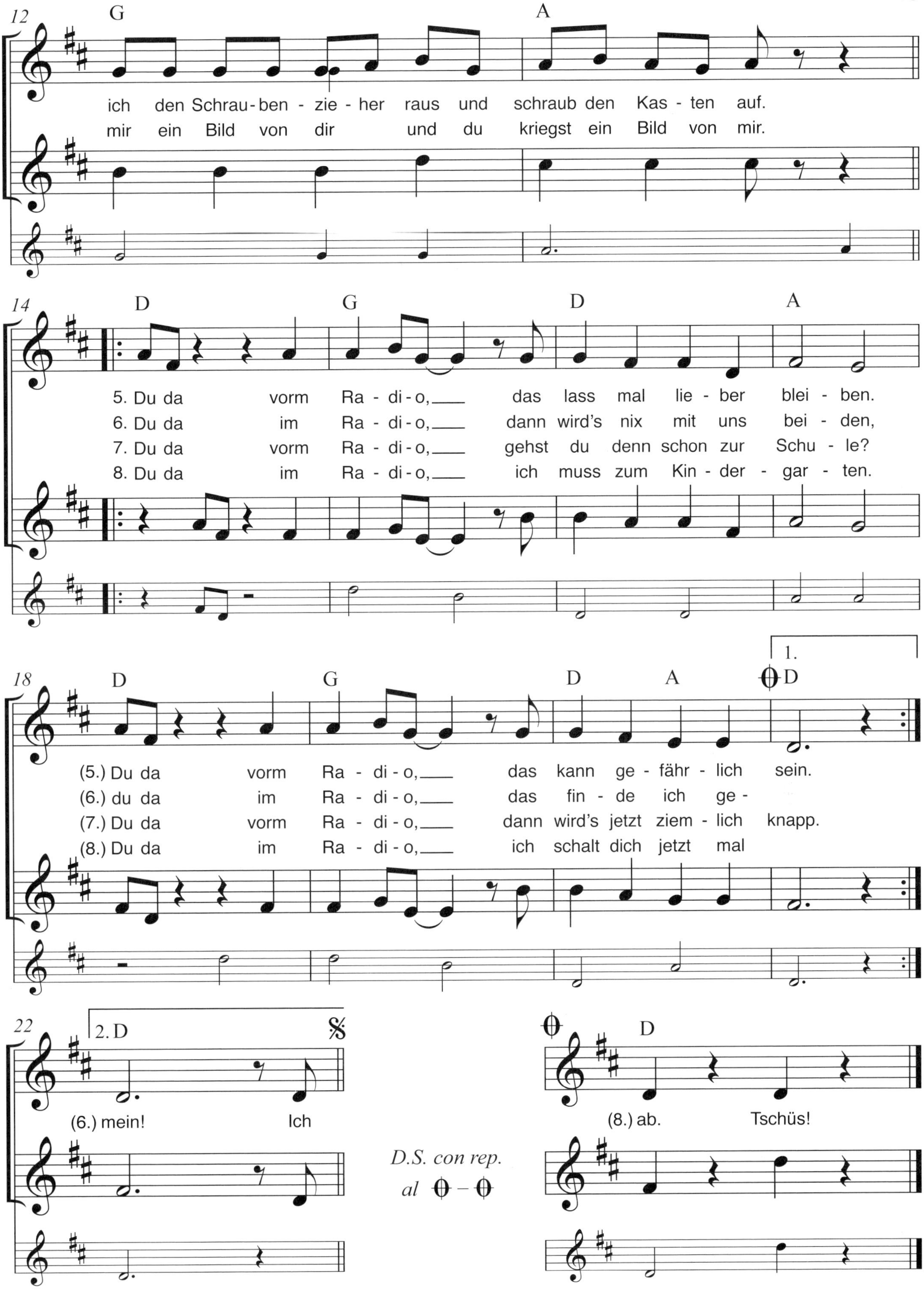

ich den Schrau-ben - zie-her raus und schraub den Kas-ten auf.
mir ein Bild von dir und du kriegst ein Bild von mir.

5. Du da vorm Ra - di - o,___ das lass mal lie - ber blei - ben.
6. Du da im Ra - di - o,___ dann wird's nix mit uns bei - den,
7. Du da vorm Ra - di - o,___ gehst du denn schon zur Schu - le?
8. Du da im Ra - di - o,___ ich muss zum Kin - der - gar - ten.

1.

(5.) Du da vorm Ra - di - o,___ das kann ge - fähr - lich sein.
(6.) du da im Ra - di - o,___ das fin - de ich ge -
(7.) Du da vorm Ra - di - o,___ dann wird's jetzt ziem - lich knapp.
(8.) Du da im Ra - di - o,___ ich schalt dich jetzt mal

2. D

(6.) mein! Ich

D.S. con rep.
al ⊕ - ⊕

(8.) ab. Tschüs!

Wie schön, dass du geboren bist

Musik und Text: Rolf Zuckowski
Bearbeitung: Michael Prost

1. Heu - te kann es reg - nen, stür - men o - der schnein, denn du strahlst ja sel - ber wie der Son - nen - schein. Heut ist dein Ge - burts - tag, da - rum fei - ern wir, al - le dei - ne Freun - de freu - en sich mit dir. Al - le dei - ne Freun - de freu - en sich mit dir. Wie

(aus der CD „Radio Lollipop")

15

2. Unsre guten Wünsche haben ihren Grund: Bitte bleib noch lange glücklich und gesund.
   Dich so froh zu sehen ist, was uns gefällt, Tränen gibt es schon genug auf dieser Welt.
   Tränen gibt es schon genug auf dieser Welt.

   Wie schön, dass du geboren bist ...

3. Montag, Dienstag, Mittwoch, das ist ganz egal, dein Geburtstag kommt im Jahr doch nur einmal.
   Darum lass uns feiern, dass die Schwarte kracht, heute wird getanzt, gesungen und gelacht.
   Heute wird getanzt, gesungen und gelacht.

   Wie schön, dass du geboren bist ...

Unsre Schule hat keine Segel

Musik und Text: Rolf Zuckowski
Bearbeitung: Michael Prost

Schü - ler, Leh - rer, El - tern - rat, heu - te gibt es kein Dik - tat,
Al - le sind ganz auf - ge - regt, auf dem Schul - hof wird ge - fegt.

auch das Rech - nen fällt heut aus und der Ran - zen bleibt zu Haus.
Leh - rer - zim - mer, Klas - sen - raum, al - les blitzt, man glaubt es kaum.

Und der Rek - tor, nicht zu fas - sen, singt vor Freu - de: „Hoch die Tas - sen! Heu - te fei - ern

(aus der CD „Radio Lollipop")

Lieder, die wie Brücken sind

Musik und Text: Rolf Zuckowski
Bearbeitung: Michael Prost

(aus der CD „Neues von Radio Lollipop")

Meine Mami

Musik und Text: Rolf Zuckowski
Bearbeitung: Michael Prost

(aus der CD „Neues von Radio Lollipop")

H.S. 1287

21

Zwischen den Autos

Musik und Text: Rolf Zuckowski
Bearbeitung: Michael Prost

1. Zwi- schen den Au - tos am Rand der Stra - ße geh ich ganz

lang - sam vor mit der Na - se. Zwi- schen den Au - tos blei - be ich

stehn. Ich muss ja erst nach links und rechts sehn.

(Fine)

(aus der CD „Rolfs neue Schulweg-Hitparade")

H.S. 1287

D.C. al Fine

2. Zwischen den Autos, die hier so parken,
   ist es am besten, erst mal zu warten
   und ist die Fahrbahn links und rechts frei,
   dann geh ich los und guck noch dabei.

   Nein, nein, nein, ich lauf doch nicht los!
   Nein, nein, nein, wer macht denn so was bloß?
   Nein, nein, nein, ich bin doch nicht blöd!
   Nein, nein, nein, nachher ist es zu spät.

H.S. 1287

Das Christkind ist geboren

Musik und Text: Rolf Zuckowski
Bearbeitung: Michael Prost

(aus der CD „Wir warten auf Weihnachten")

Fröhliche Weihnacht

(Macht euch bereit)

Musik und Text: Rolf Zuckowski
Bearbeitung: Michael Prost

(aus der CD „Wir warten auf Weihnachten")

2.

F   A⁷   Dm   C   F

ein!   Tan-nen aus dem Win-ter-wald   schmü-cken uns-re Zim-mer bald,

D⁷   Gm   B   G   C

brin - gen den Ker - zen-schein   zu uns he - rein.

F

Macht euch be -

reit.

D.S. al ⊕ - ⊕

H.S. 1287

Ich wünsche mir zum Heiligen Christ

Musik: Rolf Zuckowski
Text: Erica Wildgrube-Ulrici
Bearbeitung: Michael Prost

(aus der CD „Wir warten auf Weihnachten")

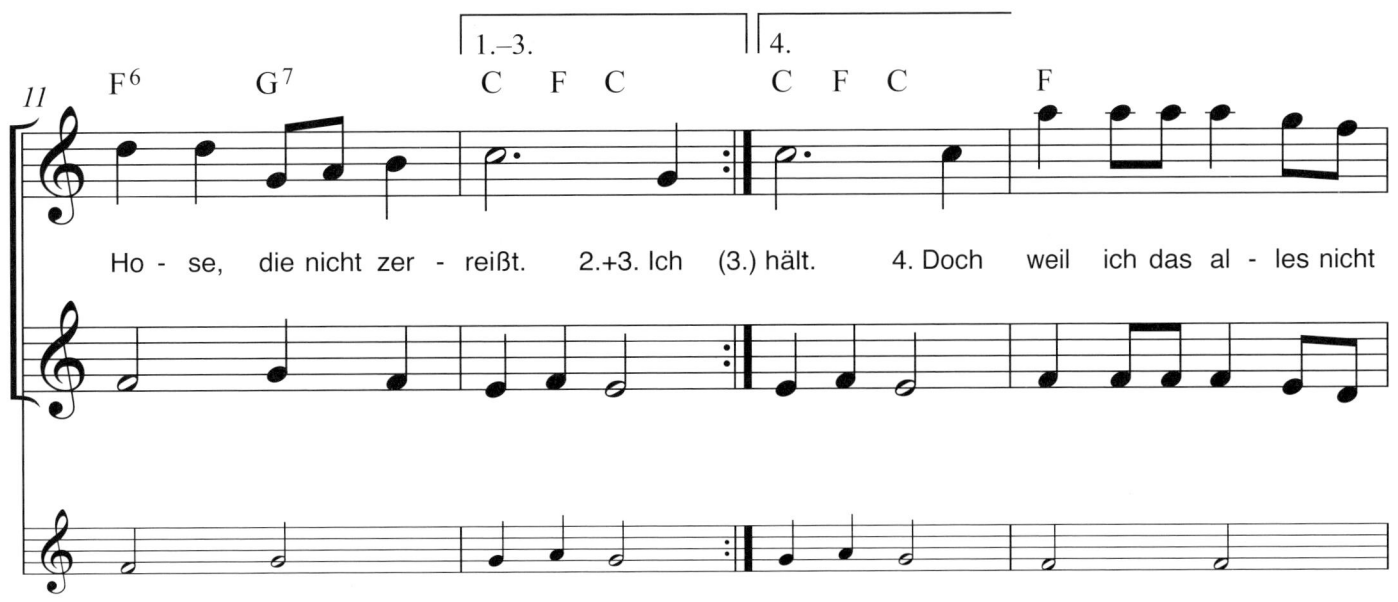

D.C. al Fine

2. Ich wünsche mir zum Heiligen Christ
eine Oma, die nie ihre Brille vermisst,
einen Nachbarn, den unser Spielen nicht stört
und 'nen Wecker, den niemand hört.

3. Ich wünsche mir zum Heiligen Christ
eine Schule, die immer geschlossen ist,
eine Mutter, die keine Fragen stellt
und 'nen Freund, der die Klappe hält.

4. Doch weil ich das alles ...

H.S. 1287

Was bringt der Dezember

Musik: Peter Reber
Originaltext: Beat Jäggi
Deutscher Spez.-Text: Rolf Zuckowski
Bearbeitung: Michael Prost

(Fine)

Was bringt der De - zem - ber uns Schö - nes da -
her? Bringt Äp - fel und Nüs - se und bald noch viel mehr. Ach Ma - mi, ach Pa - pi, ich
freu mich so sehr und wünsch mir, dass mor - gen schon Weih - nach - ten wär.

3 × D.C., 3. × al Fine

(aus der CD „Wir warten auf Weihnachten")

Morgen kommt der Nikolaus

Musik und Text: Rolf Zuckowski
Bearbeitung: Michael Prost

Kin - der, stellt die Stie - fel raus, mor - gen kommt der Ni - ko - laus!

Kin - der-chen, wie ihr euch freut, auch wenn ihr schon acht - zig seid.

Ein-mal im Jahr wird die Schuh-creme be-nutzt und das größ-te Paar Stie-fel wird blank ge-putzt.

(aus der CD „Wir warten auf Weihnachten")

ganz be-stimmt kei-ne Mäu-se, son-dern vie-le lie-be klei-ne Ni-ko-läu-se. Denn dem

Al-ten fehlt längst schon die Kraft und weil er es al-lein nicht mehr schafft, setz-te

er sich im Him-mel zur Ru-he und zeigt nur noch von o-ben auf die Schu-he. Sei-ne

Au-gen sind mü-de und krank, drum putzt die Stie-fel blit-ze-blank.

2 × D.S., 2. × al Fine

H.S. 1287   Printed in Germany

Zebrastreifen

Zebrastreifen, Zebrastreifen,
mancher wird dich nie begreifen.
Zebrastreifen, Zebrastreifen,
doch ich weiß Bescheid.
Zebrastreifen, Zebrastreifen,
alle, die dich nicht begreifen,
Zebrastreifen, Zebrastreifen,
die tun mir nur leid.

Fast überall ist viel Verkehr,
die Autos fahren hin und her,
und oft steh ich am Fahrbahnrand
und denk: „Das ist doch allerhand!
Wie komm ich hier nur rüber jetzt?
Das ist ja heute wie verhext!"
Doch dann seh ich zur rechten Zeit
den Zebrastreifen, gar nicht weit.

Zebrastreifen, Zebrasteifen ...

Ich stell mich an das blaue Schild,
damit man sieht, was ich hier will.
Ich hebe deutlich meine Hand
und seh genau die Autos an
und bremst ein Wagen, dann schau ich
dem Autofahrer ins Gesicht.
Und bleibt er stehn, dann guck ich bloß,
ob alle halten, dann geht's los!

Zebrastreifen, Zebrastreifen ...

Stups, der kleine Osterhase

Stups, der kleine Osterhase,
fällt andauernd auf die Nase,
ganz egal, wohin er lief,
immer ging ihm etwas schief.

Neulich legte er die Eier
in den Schuh von Fräulein Meier.
Früh am Morgen stand sie auf,
da nahm das Schicksal seinen Lauf:
Sie stieg in den Schuh hinein,
schrie noch einmal kurz: „Oh, nein!"
Als sie dann das Rührei sah,
wusste sie schon, wer das war:

Stups, der kleine Osterhase ...

In der Osterhasen-Schule
wippte er auf seinem Stuhle
mit dem Pinsel in der Hand,
weil er das so lustig fand.
Plötzlich ging die Sache schief,
als er nur noch „Hilfe" rief,
fiel der bunte Farbentopf
ganz genau auf seinen Kopf.

Stups, der kleine Osterhase ...

Bei der Henne Tante Berta
traf das Schicksal ihn noch härter,
denn sie war ganz aufgeregt,
weil sie grad ein Ei gelegt.
Stups, der viele Eier braucht,
schlüpfte unter ihren Bauch.
Berta, um ihn zu behüten,
fing gleich an ihn auszubrüten.

Stups, der kleine Osterhase ...

Paps, der Osterhasenvater,
hat genug von dem Theater
und er sagt mit ernstem Ton:
„Hör mal zu, mein lieber Sohn!

Deine kleinen Abenteuer
sind mir nicht mehr ganz geheuer."
Stups, der sagt: „Das weiß ich schon,
wie der Vater, so der Sohn!"

Stups, der kleine Osterhase ...

Was zieh ich an?

Was zieh ich an, was zieh ich an,
damit man mich auch gut sehen kann?
Gelb leuchtet hell,
Rot sieht man schnell,
Grau oder Braun,
das sieht man kaum.
Was zieh ich an, was zieh ich an,
damit man mich sehen kann?

Muss ich am Morgen früh aus dem Haus,
schau ich noch schnell zum Fenster hinaus
und ist es draußen trübe und grau,
sieht man mich schlecht, das weiß ich genau.
Wie kann man da noch fragen,
was sollte ich wohl tragen?

Was zieh ich an, was zieh ich an ...

Geh ich im Dunkeln irgendwohin,
weil ich bei Freunden eingeladen bin,
dann denk ich vorher wieder daran,
was man bei Nacht wohl gut sehen kann.
Wie kann man da noch fragen,
was sollte ich wohl tragen?

Was zieh ich an, was zieh ich an,
damit man mich auch gut sehen kann?
Weiß leuchtet hell.
Pink sieht man schnell.
Hellblau! Hellgrün! Rosa! Orange!
Was zieh ich an, was zieh ich an,
damit man mich sehen kann.

Ich nehm die bunte Jacke
und denk an dieses Lied,
damit man mich da draußen
im Dunkeln besser sieht.

Das zieh ich an, das zieh ich an,
damit man mich auch gut sehen kann.
Gelb leuchtet hell,
Rot sieht man schnell,
darum ist klar, dass ich erzähl:
Das zieh ich an, das zieh ich an,
damit man mich sehen kann.

Vögelein, Vögelein, tanz mit mir

Vögelein, Vögelein, tanz mit mir,
immer noch einmal im Kreis.
Vögelein, Vögelein, glaube mir:
Bald ist uns beiden ganz heiß!

Lalala, lalala, la-la-la!
Lalala, lalala, la!
Lalala, lalala, la-la-la!
Lalala, lalala, la!

Vögelein, Vögelein, tanz mit mir,
immer noch einmal herum,
Vögelein, Vögelein, glaube mir:
Irgendwann fallen wir um!

Lalala, lalala, la-la-la ...

Vögelein, Vögelein, tanz mit mir,
immer noch einmal ums Licht.
Vögelein, Vögelein, glaube mir:
Heute Nacht schlafen wir nicht!

Lalala, lalala, la-la-la ...

Sieh nur, die Sterne

Sieh nur, die Sterne,
der Tag schläft schon ein
und deine Augen
sind müde und klein.
Schlaf, bis der Morgen
die Träume verweht,
schlaf, bis am Himmel
die Sonne aufgeht.

Sieh nur, die Sterne,
sie leuchten so hell.
Sieh nur, die Wolken,
sie fliegen so schnell.
Hör wie der Wind
seine Lieder dir singt.
Schlaf, schlafe gut,
bis der Morgen beginnt.

Sieh nur, die Sterne,
so klein und so weit,
sie stehen still,
doch so schnell geht die Zeit.
Bald bist du groß
und kannst alles allein,
aber bis dann
schläfst du hier bei mir ein.

Du da im Radio

Du da - im Radio,
wie geht's dir denn heut Morgen?
Du da - im Radio,
wie war denn deine Nacht?

Du da - vorm Radio,
auch ich hab meine Sorgen.
Du da - vorm Radio,
ich bin schlecht aufgewacht.

Du - da im Radio,
du musst ja ziemlich klein sein.
Du da - im Radio,
wie passt du denn da rein?

Du da - vorm Radio,
und du musst wohl allein sein.
Du da - vorm Radio,
wem fällt sonst so was ein?

Ich hab da 'ne Idee,
damit ich dich mal seh,
hol ich den Schraubenzieher raus
und schraub den Kasten auf.

Hey, du da - vorm Radio,
das lass mal lieber bleiben.
Du da - vorm Radio,
das kann gefährlich sein.

Du da - im Radio,
dann wird's nix mit uns beiden,
du da - im Radio,
das finde ich gemein!

Ich hab da 'ne Idee,
damit ich dich mal seh,
schick mir ein Bild von dir
und du kriegst ein Bild von mir.

Hey, du da - vorm Radio,
gehst du denn schon zur Schule?
Du da - vorm Radio,
dann wird's jetzt ziemlich knapp.

Du da - im Radio,
ich muss zum Kindergarten.
Du da - im Radio,
ich schalt dich jetzt mal ab.

Tschüss!

Wie schön, dass du geboren bist

Heute kann es regnen,
stürmen oder schnein,
denn du strahlst ja selber
wie der Sonnenschein.
Heut ist dein Geburtstag,
darum feiern wir,
alle deine Freunde
freuen sich mit dir,
alle deine Freunde
freuen sich mit dir.

Wie schön, dass du geboren bist,
wir hätten dich sonst sehr vermisst.
Wie schön, dass wir beisammen sind,
wir gratulieren dir, Geburtstagskind.

Wie schön, dass du geboren bist ...

Unsre guten Wünsche
haben ihren Grund:
Bitte bleib noch lange
glücklich und gesund.
Dich so froh zu sehen
ist, was uns gefällt,
Tränen gibt es schon
genug auf dieser Welt,
Tränen gibt es schon
genug auf dieser Welt.

Wie schön, dass du geboren bist,
wir hätten dich sonst sehr vermisst.
Wie schön, dass wir beisammen sind,
wir gratulieren dir, Geburtstagskind.

Wie schön, dass du geboren bist ...

Montag, Dienstag, Mittwoch,
das ist ganz egal,
dein Geburtstag kommt im Jahr
doch nur einmal.
Darum lass uns feiern,
dass die Schwarte kracht,
heute wird getanzt,
gesungen und gelacht,
heute wird getanzt,
gesungen und gelacht.

Wie schön, dass du geboren bist,
wir hätten dich sonst sehr vermisst.
Wie schön, dass wir beisammen sind,
wir gratulieren dir, Geburtstagskind.

Unsre Schule hat keine Segel

Schüler, Lehrer, Elternrat,
heute gibt es kein Diktat.
Auch das Rechnen fällt heut aus
und der Ranzen bleibt zu Haus.

Alle sind ganz aufgeregt,
auf dem Schulhof wird gefegt.
Lehrerzimmer, Klassenraum,
alles blitzt, man glaubt es kaum.

Und der Rektor, nicht zu fassen,
singt vor Freude: „Hoch die Tassen!
Heute feiern wir ein Fest,
das ihr nie vergesst!"

Unsre Schule hat keine Segel
und sie fährt nicht auf dem Ozean,
aber wie ein Schiff auf großer Reise
hat sie manchen Sturm erlebt in all den Jahrn.

Unsre Schule hat keinen Anker,
doch sie steht und rührt sich nicht vom Fleck.
Sie zeigt uns die Welt auf ihre Weise
und als Käptn steht der Rektor auf dem Deck.
Ahoi!

Ferien und Hitzefrei,
da sind wir sofort dabei,
aber auch ein Fest wie heut
ist uns recht zu jeder Zeit.

Alle sind so gut gelaunt,
machen mit, dass man nur staunt.
Die Lehrerin verspricht dem Heinz:
„Im Feiern kriegst du eine Eins!"

Und der Rektor, dieser Schlingel,
drückt im Rhythmus auf die Klingel
und er ruft durchs ganze Haus:
„Volle Fahrt voraus!"

Unsre Schule hat keine Segel ...

Unsre Schule hat keinen Anker ...

Lieder, die wie Brücken sind

Lieder, die wie Brücken sind,
die braucht jeder Mann.
Jede Frau und jedes Kind
braucht sie sicher irgendwann.
Lieder, die wie Brücken sind,
scheinen schwach zu sein
und ob sie uns tragen,
liegt an uns allein.
Und ob sie uns tragen,
liegt an uns allein.

Ohne Stahl und Steine
sind sie schnell gebaut,
aus Tönen ganz alleine.
Maurer, Maler, Zimmermann,
seht euch das mal an!

Lieder, die wie Brücken sind ...

Jeder kann beginnen,
hier und überall,
braucht ja bloß zu singen,
keine Angst, ein falscher Ton
bringt sie nicht zu Fall.

Lieder, die wie Brücken sind ...

Meine Mami

Meine Mami, das ist sonnenklar,
Kenn ich schon, seit ich ein Baby war.
Meine Mami hat's nicht leicht mit mir,
aber ich hab's auch nicht leicht mit ihr.

Meine Mami ist ein irrer Typ,
gerade darum hab ich sie so lieb.
Meine Mami ist mir niemals fremd,
ob im Abendkleid oder im Hemd.

Wenn ihr so eine Mami habt,
dann nehmt sie in den Arm
und haltet sie euch warm;
denn schnell wird sie euch weggeschnappt,
wer wäre wohl so dreist?
Der Mann, der Papi heißt!

Meine Mami ist schon ziemlich alt,
30 Jahre - 31 bald.
Doch gehalten hat sie sich nicht schlecht,
sogar die Haare sind noch immer echt.

Meine Mami ist mein Kuscheltier
und am liebsten schmuse ich mit ihr.
Einen anderen lass ich da nicht ran,
damit fangen wir erst gar nicht an!

Wenn ihr so eine Mami habt ...

Meine Mami sagt: „Mach's Fernsehn aus!
Denn schon bald kommt der Papa nach Haus."
Und ich tu's - man muss ja artig sein,
Papa kommt - und schaltet's wieder ein.

Meine Mami, die ist wirklich nett,
jeden Abend bringt sie mich ins Bett.
Aber dreimal komm ich wieder raus,
denn ich weiß, das hält sie spielend aus.

Wenn ihr so eine Mami habt ...

Der Mann, der Papi heißt

Zwischen den Autos

Wieder mal stehn hier die Autos dicht an dicht,
Ampel oder Zebrastreifen gibt es nicht.
Keine große Lücke, wo ich besser sehen kann,
doch ich muss hier rüber, also dann:

Zwischen den Autos am Rand der Straße
geh ich ganz langsam vor mit der Nase.

Zwischen den Autos bleibe ich stehn.
Ich muss ja erst nach links und rechts sehn
und noch mal nach links.

Nein, nein, nein,
ich lauf doch nicht los!
Nein, nein, nein,
wer macht denn so was bloß?
Nein, nein, nein,
ich bin doch nicht blöd!
Nein, nein, nein,
nachher ist es zu spät.

Zwischen den Autos, die hier so parken,
ist es am besten, erst mal zu warten
und ist die Fahrbahn links und rechts frei,
dann geh ich los und guck noch dabei.

Nein, nein, nein,
ich lauf doch nicht los ...

Das Christkind ist geboren

Das Christkind ist geboren
in dunkler Winternacht
und hat in unser Leben
das helle Licht gebracht.

Es will uns allen sagen,
ob groß wir oder klein:
„Ich will an allen Tagen
euch Trost und Hoffnung sein.

Ich will die Kraft euch geben,
die euch den Glauben bringt,
dass ihr durch meine Liebe
den stärksten Feind bezwingt."

Das Christkind ist geboren,
um unser Freund zu sein.
Wenn wir den Mut verlieren,
lässt es uns nicht allein.

Es bleibt an unsrer Seite,
wo immer wir auch gehn
und fehlen uns die Worte,
kann es uns doch verstehn.

Das Christkind ist geboren
in dunkler Winternacht ...

Es bleibt an unsrer Seite,
wo immer wir auch gehn ...

Fröhliche Weihnacht
(Macht euch bereit)

Macht euch bereit,
macht euch bereit,
jetzt kommt die Zeit,
auf die ihr euch freut.
Bald schon ist Weihnacht,
fröhliche Weihnacht,
macht euch bereit,
macht euch bereit.

Ob Jung oder Alt,
Groß oder Klein,
stimmt doch mit ein!
Stimmt doch mit ein!
Bald schon ist Weihnacht,
fröhliche Weihnacht,
stimmt doch mit ein,
stimmt doch mit ein!

Tannen aus dem Winterwald
schmücken unsre Zimmer bald,
bringen den Kerzenschein
zu uns herein.

Macht euch bereit,
macht euch bereit ...
Bald schon ist Weihnacht,
fröhliche Weihnacht,
macht euch bereit,
macht euch bereit.

Ich wünsche mir
zum Heiligen Christ

Ich wünsche mir
zum Heiligen Christ
einen Kopf,
der keine Vokabeln vergisst,
einen Fußball,
der keine Scheiben zerschmeißt -
und 'ne Hose,
die nicht zerreißt.

Ich wünsche mir
zum Heiligen Christ
eine Oma,
die nie ihre Brille vermisst,
einen Nachbarn,
den unser Spielen nicht stört -
und 'nen Wecker,
den niemand hört.

Ich wünsche mir
zum Heiligen Christ
eine Schule,
die immer geschlossen ist,
eine Mutter,
die keine Fragen stellt -
und 'nen Freund,
der die Klappe hält.

Doch weil ich das alles
nicht haben kann,
überlass ich die Sache
dem Weihnachtsmann.

Was bringt der Dezember

Was bringt der Dezember
uns Schönes daher?
Bringt Äpfel und Nüsse
und bald noch viel mehr.
Ach Mami, ach Papi,
ich freu mich so sehr
und wünsch mir, dass morgen
schon Weihnachten wär.

Was bringt der Dezember
für Groß und für Klein?
Bringt Freude und Licht
in die Stuben hinein
und jeder wär glücklich,
würd's einmal so sein:
Nur fröhliche Herzen
und niemand allein.

Was bringt der Dezember
mit himmlischer Fracht?
Wie leuchten die Sterne
in strahlender Pracht!
Den Glanz und die Stille
der Heiligen Nacht
hat uns ganz alleine
das Christkind gebracht.

Morgen kommt der Nikolaus

Kinder, stellt die Stiefel raus,
morgen kommt der Nikolaus!
Kinderchen, wie ihr euch freut,
auch wenn ihr schon achtzig seid.

Einmal im Jahr
wird die Schuhcreme benutzt
und das größte Paar Stiefel
wird blank geputzt.
Einmal im Jahr
wird die Schuhcreme benutzt
und das größte Paar Stiefel
wird blank geputzt.

Komm, Papa, komm und drück dich nicht!
Glaubst wohl, der Nikolaus erblickt dich nicht?

Kinder, stellt die Stiefel raus,
morgen kommt der Nikolaus.

Wenn es raschelt im Haus heute Nacht,
still und heimlich, dass niemand erwacht,
sind es ganz bestimmt keine Mäuse,
sondern viele liebe kleine Nikoläuse.

Denn dem Alten fehlt längst schon die Kraft
und weil er es allein nicht mehr schafft,
setzte er sich im Himmel zur Ruhe
und zeigt nur noch von oben auf die Schuhe.
Seine Augen sind müde und krank,
drum putzt die Stiefel blitzeblank!

Dass ich sie sehen kann!

Kinder, stellt die Stiefel raus,
morgen kommt der Nikolaus ...

Einmal im Jahr
wird die Schuhcreme benutzt ...

Komm, Papa, komm und drück dich nicht ...

Kinder, stellt die Stiefel raus ...

Doch am schönsten, das siehst du bald ein,
ist es, selbst einmal Nikolaus zu sein;
denn du brauchst, um Freude zu machen,
gar kein Geld für irgendwelche Sachen.

Mehr als gute Ideen brauchst du nicht.
Mal ein Bild oder schreib ein Gedicht
oder balstel mit Äpfel und Nüssen,
schreib dazu: „Das ist von mir mit tausend
  Küssen !"
Und am Morgen, na da ist was los,
die Freude wird noch mal so groß.

Und ich werd arbeitslos.

Kinder, stellt die Stiefel raus,
morgen kommt der Nikolaus ...

Einmal im Jahr
wird die Schuhcreme benutzt ...

Komm, Papa, komm und drück dich nicht ...

Kinder, stellt die Stiefel raus ...

Blockflöten - Grifftabelle

C-Blockflöte

linke Hand
rechte Hand

● gedeckt

○ geöffnet

◐ teilw. geöffnet

◉ bei Bedarf ganz oder teilweise gedeckt

✕ Flöten mit Doppelloch bzw. Doppelklappe

+ nur barocke Griffweise

Gitarren - Grifftabelle

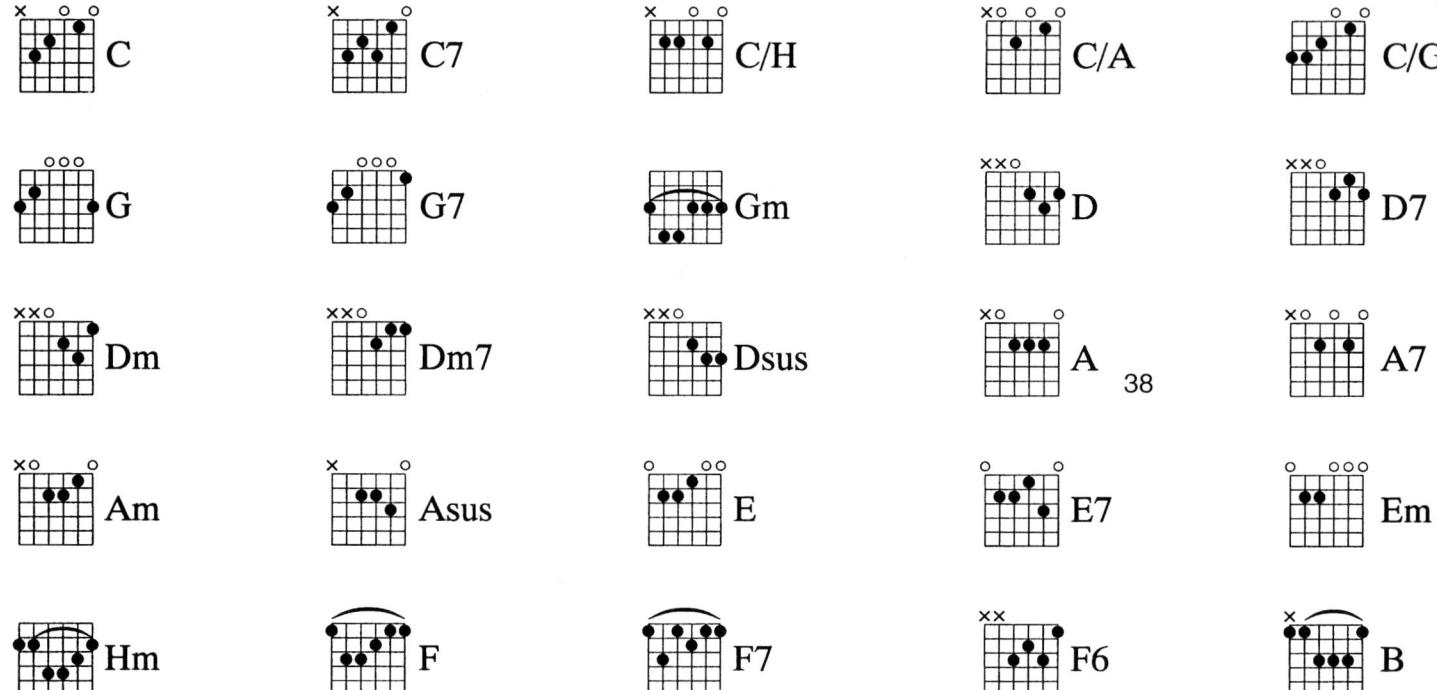

Rolf Zuckowski

bei SIKORSKI

Rolfs Hasengeschichte: Ich bin stark

1155 Das Klavieralbum – ISBN 978-3-935196-53-6

1399 Das Notenheft, vierstimmig gesetzt für Gesang, Gitarre, Bass und Melodieinstrument
ISBN 978-3-920880-99-0
1399A: CD / 1399B: MC
1399C: Playback-CD – ISBN 978-3-935196-42-0
1399F: DVD
1399H: Textheft (nur für Aufführungen)
ISBN 978-3-935196-28-4

8075 Bilderbuch (Coppenrath)
ISBN 978-3-935196-01-7 Hardcover

8092 Bilderbuch (Coppenrath)
ISBN 978-3-935196-59-8 Paperback

Der kleine Tag
Das Musical-Hörspiel
(Zuckowski/Eicke/Niehaus)

1391 Das Klavieralbum (Die Lieder – Die Melodien)
ISBN 978-3-920880-91-4
1391A: Doppel-CD / 1391B: Doppel-MC

1392 Das Textbuch – ISBN 978-3-920880-92-1

1394 Das Band Set – ISBN 978-3-920880-94-5
Partitur und Stimmen für variable Besetzung
1394A: Die Orchester-Playbacks (CD)
ISBN 978-3-935196-43-7
1394B: Die Midi-Files – ISBN 978-3-935196-48-2

Schau mal, hör mal, mach mal mit!
Liederspaß mit Ferri und Beate für die
Verkehrssicherheit von Vorschulkindern

8086 Bilderbuch (Coppenrath) – ISBN 978-3-935196-49-9

1183F Seminarunterlage für Lehrer/innen
1183A: CD / 1183B: MC
1183E: Video / 1183G: DVD

Rolfs Liederkalender

1142 13 Lieder aus der ZDF-Sendung für Gesang
und Klavier – ISBN 978-3-920880-48-8

1143 Liederbuch – ISBN 978-3-920880-49-5
1142A: CD (Orig. + Playback)
1142B: MC (Orig. + Playback)
1142F: DVD

Rolfs Combo-Serie
Partitur und Stimmen für variable Besetzung

1410 Die Jahresuhr (Carl)
ISBN 978-3-935196-00-0

1411 Wie schön, dass du geboren bist (Carl)
ISBN 978-3-935196-31-4

Rolfs Liederbüchermaus

1145 Unsere schönsten Kindervolkslieder für
2 c"-Blockflöten, Gitarre und Glockenspiel,
4farbig illustriert von Julia Ginsbach.
Hardcover – ISBN 978-3-920880-75-4
1145A: CD / 1145B: MC

Rolfs neue Schulweg-Hitparade
Ein musikalischer Weg zu mehr
Verkehrssicherheit

995 Liederbuch mit 17 Liedern – ISBN 978-3-920880-41-9
995A: CD / 995B: MC
995C: Playback-CD – ISBN 978-3-935196-26-0
995E: Video / 995F: DVD

1139 Mach mit! Das Heft für Kinder:
Singen, spielen, malen, basteln und raten
(Heß/Zuckowski) – ISBN 978-3-920880-42-6

1140 Das Ideenbuch für Lehrerinnen und Lehrer:
Singen, spielen, üben, erkunden, basteln, malen
(Heß/Zuckowski) – ISBN 978-3-920880-43-3

Singen macht Spaß

1130 ... mehr als ein Liederbuch!
(Schreiner/Hartmann/Zuckowski)
Mit einer Fülle von Anregungen zum Singen,
Musizieren, Tanzen und Darstellen für
6- bis 12jährige; mit 36 Liedern (Melodie/Akkorde)
sowie leichten Chorsätzen.
Buch allein – ISBN 978-3-920880-31-0
1130KPLT: Buch mit Doppel-CD
ISBN 978-3-920880-66-2
1130A: Doppel-CD inkl. Playbacks
ISBN 978-3-920880-67-9

Lasst die Kinder singen!
Rolfs Chorliederbuch
Je 5 beliebte Lieder, 1- bis 3-stimmig arrangiert
für Kinderchor mit Klavier
(Lundie)

1417a Band 1: Unsere Schule – unser Chor
ISBN 978-3-935196-86-4

1417b Band 2: Wir sind starke Kinder
ISBN 978-3-935196-87-1

1417b Band 3: Wir reisen durch die Jahreszeiten
ISBN 978-3-935196-88-8

Rolfs Top 100
Die Hitparade eurer Lieblingslieder,
ermittelt in 225 Wunschkonzerten

1418 Liederbuch – ISBN 978-3-935196-81-9

1418A Geschenkbox mit 5 CDs

SIKORSKI